Smarta billiga matboken

Text och illustrationer
Lotten Thörngren

BOKFÖRLAGET
semic

© Bokförlaget Semic, Sundbyberg
www.semic.se

Redaktion: Kerstin Almegård och Kajsa Berglund
Text och illustrationer: Lotten Thörngren
Omslagsillustration: Cecilia Torudd
Formgivning: Karin Larsson
Omslagsformgivning: Marianne Lilliér

Tryckt hos Korotan Ljubljana, Slovenien 2008

ISBN: 978-91-552-5438-4

Innehåll

Förord

Smart mat *är billig mat som är tillagad av fina råvaror, enkel att laga till och samtidigt smakrik och god.*

Det handlar om att förnya sina idéer kring hur en middag måste se ut. Man behöver inte alltid hålla sig till en rätt utan, som den här boken förespråkar, att man helt enkelt plockar ihop lite av vad som finns hemma. Det är ju onödigt att springa till affären varje dag.

Orsaken till att många låter grönsaker ligga och bli dåliga i kylen är att man binder sig till en rätt i stället för att ta av vad som finns hemma.

Ett förslag kan vara att laga en middagsrätt ena dagen och samtidigt passa på att göra lite extra så att det blir över. Potatis och ris till exempel är perfekt att värma på till pytt, risotto

eller en omelett nästa dag. Maten behöver inte
alltid vara varm heller. Ät en mättande sallad
eller varför inte en lunch med hummus och något
plock.

Och sen är det förstås bra om det dessutom finns
olika goda tillbehör hemma såsom kryddor, såser,
oliver, fårost eller en bit parmesanost (ja, jag
vet att den är dyr, men ibland kan man komma

över en stor bit till ett bra pris som sedan räcker länge). Det behövs inte mycket av det där extra för att middagen ska bli jättegod.

Smart mat är, som jag ser det, dessutom så fri från gifter som möjligt. Halvfabrikat går bort eftersom de är processade, dyra och ofta fulla med tillsatser. Satsa gärna på bra kött i mindre mängd. Hellre kvalitet än kvantitet. Man behöver heller inte överdriva den där idén om att man måste dra i sig mängder av protein.

Du kan hålla dig till ett hyfsat lågt GI utan att äta mängder av kött. Undvik bara onödigt socker och raffinerat vetemjöl och satsa på grovt spannmål så kommer du långt.

Lotten

Basvaror att ha hemma

Basen i skafferiet

Det här är mitt förslag på bra basvaror att ha hemma. Med de här ingredienserna går det alltid att laga till något gott. Och det är dessutom den delen av inköpet som ändå är hyfsat billig men som ändå mättar mest.

- *lök*
- *potatis*
- *ris*
- *bönor*
- *linser*
- *havregryn*
- *tomatpuré*
- *tonfisk på burk*

- *två bra oljor*, till exempel oliv- och rapsolja (raps är bättre för stekning)
- *vitlök*
- *persilja*

Basen i frysen

Dessutom sådant som du kan ha i frysen, till exempel:

- *styckfryst bladspenat* – då kan man lätt ta en näve efter behag i stället för att behöva tina ett helt sjok.
- *gröna ärtor*
- *haricots verts*
- *kött, fisk, räkor* och *kyckling,* gärna i mindre bitar att ta fram vid behov. Jag tycker inte det behövs så mycket kött eller fisk för att en middag ska kännas matig.

Kryddor och allt det där extra

Köp in goda tillbehör i specialbutiker. Till exempel i asiatiska eller i "mellanöstern-butiker", där brukar man kunna hitta goda kryddor i storpåsar och en mängd olika saker som kan vara trevligt att ha hemma, för ett överkomligt pris.

Här kommer olika förslag på sådant som kan vara bra att ha:

> - *thailändsk fisksås* (kan användas istället för soja eller buljongextrakt. Den piffar upp och ger smak till allt möjligt, inte bara fiskrätter).
> - *spiskummin*
> - *sweet chilisås*
> - *tahini* (för hummusen)
> - *röd chilipasta*
> - *senap*

- *kaffirlimeblad*, finns i frysdisken i asiatiska mat-
    butiker
- *citrongräs*, spara i frysen.
- *galangarot*, kan också frysas in. Var dock beredd på
    att varken citrongräs och galangarot ser helt
    fräscht ut efter infrysning)
- *kapris*
- *oliver*
- *parmesanost*
- *en god olivolja*
- *dina egna favoritkryddor*

Min att-äta-lista

1. Ekologisk

Tyvärr är det ofta ganska dyrt med ekologiskt odlad mat men tar man bort mycket av de tvivelaktiga halvfabrikaten ur dieten och drar ner en aning på köttätandet, så kan det gå ihop.

2. Fullkorn

Fördelen med fullkorn är att fullkornen innehåller mycket mer vitaminer och mineraler än vad raffinerat mjöl gör. Fullkorn håller magen i trim, lär vara bra för hjärtat och har ett lågt GI-värde. Lågt GI-värde betyder ju lång mättnad, och det passar ju för den om vill hålla i pengarna också. Så, kort sagt, fullkorn är ett hälsosamt lågbudget-alternativ.

Min inte-äta-lista

Fram och tillbaka går ju diskussionerna kring olika tillsatser, om besprutning av grödor eller om plastförpackningarnas eventuella farlighet eller harmlöshet.

Dessa diskussioner kan pågå i åratal och ofta nog har industrin sina egna forskare som hela tiden hittar motargument mot de fristående forskarnas resultat. Om en jätteindustri med miljardbelopp i omsättning har råd med en armada av lobbyister, så betyder det bara att vi helt enkelt måste lita mer till det egna förnuftet och i möjligaste mån undvika sådant som känns osäkert. Personligen vill jag inte vara en försökskanin tills ofarligheten verkligen bevisats, vilket det sällan tycks göra.

Här kommer nu i alla fall min korta men koncisa inte-äta-lista:

1. Vitt socker

Ta hellre råsocker och liknande om du känner för att tillaga något sött.

2. Halvfabrikat

Dyrt, processat och ofta med tillsatser.

3. Sojabönor och sojaprodukter

Sojan är en jätteindustri men det finns många som varnar för sojans negativa påverkan på hälsan. I USA går debatten het. Själv är jag misstänksam eftersom sojabönan påverkar sköldkörteln negativt. Soja finns i all möjlig mat, bantningspulver, proteinpulver, energi-kakor, glass, halvfabrikat av olika slag.

4. Glutamat

Tyvärr så döljer sig glutamat bakom många namn och beteckningar. Glutamat finner du mest i pulversoppor, snabbnudlar, buljong, kryddmixar och som smaksättare till allt möjligt halvfabrikat. Beteckningarna glutamat, E621 och natriumglutamat är det som man i synnerhet ska se upp med.

Även skinkan har ofta smaksatts med glutamat, men som tur är börjar fabrikanterna skärpa sig. Håll koll på märkningen. I skolmatsalarna kan man skandalöst nog fortfarande finna Aromat på borden.

Försök att hitta en buljong utan glutamat på hälsokosten. Eller lär dig att koka fram egen buljong – det är lätt – det är bara att låta småkoka en timme eller mer, beroende på vad man har lagt i grytan (se "En kyckling som räcker länge", s. 31).

5. Genmanipulerat

Eller genmodifierat, som det finare heter. Det brukar handla om majs och soja. Är det genmodifierat ska det framgå av innehållsdeklarationen, säger Livsmedelsverket.

CHIPS

ALLKRYD
roma

NUDLES

PULVER
SOPPA
LUX

Glutamat
är inte mat.

INSPIRATIONSLISTA

Ibland är det svårt att komma på vad man ska göra till middag. Problemet beror då ofta på att man fastnar i "huvudrätts-tänket". Det finns det en lösning på: Kolla hur fint de kombinerar färska grönsaker och såser på kebabställena. Eller hur de gör på till exempel libanesiska restauranger med smårätter, meze, där man tar lite av varje och skapar en varierad rätt med många smaker. Ta inspiration därifrån! Här har jag skrivit ihop en lista på olika saker som man kan plocka ihop i önskade kombinationer.

Tomat- eller zucchinihalvor

Tomat- eller zucchinihalvor stekta i olivolja, vitlök och basilika, (oregano eller rosmarin), och havssalt.

Stek gärna på låg värme så att grönsakerna mjuknar fint utan att brännas vid. Släng med flera vitlöksklyftor halverade med skal och allt, de blir goda att äta till.

En sås till

Någon sås eller röra av till exempel: hummus, tzatziki, pesto, tomatsås (se recept s 115). Eller spenat som värms och rörs ihop med crème fraiche, en nypa salt och peppar.

Tillbehör

Andra goda tillbehör såsom: oliver, kapris, fårost, halloumi.

Att bli mätt på

Bulgur, korngryn, quinoa, ris, klyftpotatis (se rotfrukter i ugn, s 36), kokt potatis.

Stekta grönsaker

Lök, morot, rotfrukt, vitkål ...

Låt grönsakerna sakta mjukna i pannan, inte för hög värme alltså, då lagar de sig själva med hjälp av lite omrörning då och då. Salta och krydda efter behag.

Stekt lök är för övrigt en klassiker som är gott att bara ha med som tillbehör till allt möjligt. Jag tycker löken ska stekas sakta och länge på ganska låg värme. Salta och peppra (gärna med grovmalen svartpeppar).

Stekt vitkål är också jättegott. Salta på och låt kålen få färg.

Smarta billiga mat- idén

Här kommer också några smarta matidéer som gör det lättare att utnyttja basvarorna du har hemma i skafferiet eller frysen. De går att variera i all oändlighet och de är inte dyra. De kan antingen kombineras eller ätas var och en för sig. Perfekt!

Och så några allmänna tips, som till exempel vad du kan göra med alla äpplen som träden dignar av på hösten, eller hur du gör din egen supernyttiga och goda måltidsdricka!

Mina nyttiga, mättande, goda pannkakor

Jag har experimenterat med lite olika varianter på pannkakor (eller vad de nu ska kallas för) som inte innehåller vanligt vitt vetemjöl.

Det är bra om man vill undvika alltför mycket vetemjölsbaserad mat, men det går ju bra att använda vetemjöl i recepten här ändå, om man vill det.

Det här är det glutenfria grundreceptet för 2 pers:

Pannkaka på havregrynsmjöl eller skrädmjöl

Ungefärliga mått på grundingredienserna är:

två rejäla nävar havregryn (eller motsvarande mängd skrädmjöl)
1 ägg
1/2–1 dl rismjöl
2–3 dl vatten
1/2–1 tsk salt

Kör ett par nävar vanliga havregryn i en hög mugg eller tillbringare med stavmixer så att det blir mjöl. Rör sedan ihop en smet med ett ägg, vatten, havremjölet, rismjöl och salt.

Jag använder aldrig mått, men det brukar bli bra. Rismjölet behövs för att pannkakan ska hänga ihop fint, havregrynen klarar inte det ensamt. Det går också bra med potatismjöl eller majsstärkelse som "bindemedel".

Smaka av smeten med salt, det ska inte vara för lite och inte för mycket. Smeten ska vara lagom tjock. Tunn smet blir tunnare pannkaka, tjock smet tjockare pannkaka.

Den tunna är godast tycker jag, så dryga ut med mer vatten om det behövs.

Hetta upp stekpannan, sänk värmen till "övre medelvärme".

När man väl fått in snitsen så blandar man ihop smeten under tiden stekpannan hettas upp, det går fort utan mått.

Detta är som sagt själva grunden, men sedan har jag även blandat i annat i smeten, t ex:

- *solrosfrön*
- *vetekli*
- *hackade nötter (kör en kort stund med stavmixern, det ska inte bli nötmjöl)*
- *linfrö*
- *sesamfrö (det blir en god rostad smak om man strösslar på vid själva steket)*
- *bladspenat eller hackad spenat*
- *över natten blötlagda dinkelfrön eller annat fullkorn eller fullkornskross (se hur man gör i receptet "Rå-gröt" s. 42)*
- *någon matsked nässelmjöl eller nyponmjöl från hälsokosten – nyttigt värre!*

Serveringsförslag:

Kan ju varieras i det oändliga så det är bara att pröva egna varianter och andra ingredienser än just mina förslag. Men här är några av mina exempel:

- *gräddfil*
- *crème fraiche eller yoghurt*
- *finhackad rå lök*
- *tomat*
- *zucchini (som skalas till långa slanor med potatisskalaren)*
- *tonfisk, olivolja som du droppar över på slutet*
- *uppvärmd spenat (som värmts upp och smakats av med några droppar vin, olivolja och salt)*

Rulla ihop eller ät platt med kniv och gaffel. Det här är mat man står sig på länge!

Fullkornspannkaka

Gör den tunn eller mer stadig, helt efter tycke och smak.

Blanda en smet som beskrivs ovan (gärna med skräd-mjöl) men lägg även i lite valfritt krossat fullkorn som blötlagts över natten.

Man kan till exempel steka pannkakan i olja och låta den vara tunn (mer vatten i smeten).

Rulla ihop och ät med inrullat plock av önskat slag, till exempel yoghurt, bladspenat, tonfisk och rödlök.

Vitaminpannkaka

Samma som ovan men blanda i nässelpulver, nyponpulver
(en halv eller hel matsked av varje sort) och lite rå-gröt i
pannkakssmeten. Stek i olja. Gör dem gärna lite tunna. Ät
som nachos med fräscha grönsaker och avokado.

Fullkornspannkaka med morot
och tonfisk

Bred ut ett lager med crème fraiche på pannkakan. Lägg
på riven morot och lite tonfisk. Rulla ihop och ät.

Kom ihåg att se till att pannkakssmeten inte är för osalt
(inte för salt heller förstås), då smakar den inte lika gott.

Spenatpannkaka med ost

Den här varianten gjorde jag på skrädmjöl, men det går ju bra med vetemjöl eller annat också.

1 ägg
3 dl skrädmjöl
½ dl rismjöl
2 tsk salt
3 dl vatten
en liten skvätt fil eller yoghurt (kan dock uteslutas)
en näve hackad spenat (tina från frysen i en kastrull med en skvätt kokande vatten)

Rör ihop ägg, spenat, vatten och mjöl. Smaka av med salt. Smeten ska vara lite trög så att pannkakan blir en aning tjock. Hetta upp stekpannan och sänk till "övre medelvärme". Stek i smör (olja går också bra). Klutta ut till flera små plättar i stekpannan, bryn en stund. Lägg på en bit hyvlad ost på ovansidan av varje plätt, vänd och stek ostsidan gyllenbrun. Det ska vara medelgod värme (om plattan går till tolv blir åttan bra).

Pannkaka med banan och kokosmjölk à la Teo

Kör en näve havregryn med mixern. Blanda en smet med ett ägg, rismjöl, havremjöl (lika mycket av båda sorter), kokosmjölk (en eller två deciliter) och eventuellt lite vatten. Smeten ska vara ganska lös eftersom pannkakorna ska bli tunna. Stek i smör. Servera med skivad banan och råsocker.

TEMA:
En kyckling som räcker länge

Koka en kyckling (eller höna) i saltat vatten. När den är färdig plockar du upp den och låter den svalna, plockar av köttet och lägger tillbaka skrov och rens i kastrullen. Låt det småputtra där någon timme (om du vill kan du slänga i en bit morot och en bit purjolök också). Sila av och släng renset. Sen har du en bra buljong eller soppbas att frysa in (gärna uppdelat i passande portioner). Skär köttet i bitar och frys in på en bricka så att köttet blir styckfryst. Lägg sedan bara in det frysta köttet i en fryspåse. Bra att ha för att ge maten det där lilla extra om man saknar kött, till exempel i risotton.

Soppor på hemmakokt kycklingbuljong:

Kycklingsoppa med grönt

bladspenat
skalad potatis i bitar
små bitar kycklingkött, det behövs inte så mycket

Lägg i spenaten på slutet och om du vill: finhackad persilja.

Smaka av med eventuellt lite extra buljong om det behövs och önskade kryddor.

Soppa Thai style

Det här är ett recept för de som gillar thai-
ländsk mat och som köpt hem nyckel-
ingredienserna (som räcker länge,
se om inköp i inledningen, s 8).

Lägg i ett par blad av kaffirblad, hacka en centi-
meterstor bit ingefära, galangarot och lite citrongräs. Låt
småputtra en stund så att smaken kommer fram ur kryd-
dorna.

Lägg i bitar av kyckling och något grönt, typ haricots
verts, det gröna på purjolöken, stavar av morot, lite lök i
bitar (inte för mycket, en halv räcker) och slå i kokosmjölk
efter behag. Smaka av med röd currypasta. Om man är
mycket hungrig kan man äta soppan med ris till. I Thai-
land äter man ju ofta soppan med en skål ris till – man tar
soppa med sin sked och lägger vid kanten av riset.

33

Kycklingbuljong med persilja

Koka upp buljongen, finhacka en rejäl näve persilja och
lägg i. Smaka av. Om vin finns hemma: pytsa i en liten
skvätt. Pressa i en aning vitlök på slutet. Ät med en grov
smörgås till.

TEMA:

Smarta rotfrukter

Rotfrukter är både billiga och näringsrika. Förr i världen var kålroten vår främsta C-vitaminkälla, under det långa vinterhalvåret då det inte fanns tillgång till frukt och bär. Särskilt billiga är rotfrukterna på hösten. Kålrot och morot är de i särklass bästa lågbudgetingredienserna – mesta möjliga näring och mättnad för minsta möjliga penning.

Rotfrukter och annat i ugn

Att slänga in rotfrukter och annat i ugn är ett enkelt sätt att laga billig, god mat. Tumregeln är 200 grader i cirka 50 minuter.

Till exempel: potatis, morötter, rödbetor, kålrot (som skärs i mindre bitar eftersom den tar längre tid), palsternacka, rotselleri, vitkål med mera.

Jag kommer med några förslag men det går ju att variera sig med egna sammansättningar.

Sätt på ugnen. Skala och skär rotfrukterna i ganska grova bitar. Lägg i ugnsfast form. Ringla olja över och strö i salt och önskade kryddor (t ex rosmarin, timjan, vitlök). Rör om så att oljan sprids runt ordentligt.

Ställ in i ugnen. Rör om någon gång vid halvtid. Det är allt. Sen är det klart efter cirka 50 minuter på 200 grader alltså. Kolla med sticka eller gaffel att grönsakerna mjuknat.

Strö gärna persilja över vid servering.

Ät som det är utan något särskilt till eller med en bit kött av något slag, tomat och lök, tzatziki. Kanske med tomathalvor som får gå med i ugnen den sista kvarten.

Rotfruktssås

En god sås att äta dagen efter (om det blivit över) gör man på de ugnsbakade rötterna. Kör dem i mixern. Värm sedan på röran med en skvätt vatten och en skvätt grädde, eller varför inte tomatpuré. Smaka av med salt.

Rödbetor i ugn

Skala och dela rödbetorna i klyftor. Lägg i ugnsfast form, ringla olja över och strö över salt. In i ugnen, 200 grader i ca 50 minuter.

Aioli är gott till.

Rotfruktsgratäng

Skala och skär önskade rötter i bitar, inte för tjocka den här gången. Lägg i ugnsfast form. Salta lätt och rör om. Värm upp mjölk och grädde (hälften var). Ha gärna i lite hemgjord buljong (se recept s 31) också så att såsen får lite extra smak. In i ugn på 200 grader i 50 minuter. Strö riven ost över den sista kvarten. Kolla att alla sorterna mjuknat – då är det klart.

Äppeltider

Äpplen är gott och nyttigt.
På hösten brukar man kunna
se högar av fallfrukt under
äppelträden i trädgårdarna.
Synd, obesprutade äpplen
helt gratis!
Här kommer några enkla för-
slag på äppelanrättningar:

Piggelinfrukost

Blanda ihop skuret äpple, skivad banan, solrosfrön och
gärna lite frysta blåbär till en sallad. Om du brukar äta fil
och müsli – lägg på äppelbitar också!

Äppelsallad

Syrliga äpplen är gott i sallad. Gör en dressing på en blandning av Anna-Marias allrounddressing (s 106) och yoghurt. Smaka av – den ska vara lagom salt, syrlig och söt (av senapen). Blanda en sallad av äppelbitar, hackad rå lök och tonfisk. Häll på dressingen. Gott!

Rucola-, fetaost- och äppelsallad

Gör en sallad med rucola, äpplen, solrosfrön och fetaost. Dressingen kan göras enkelt med olivolja, salt och vitlök eller så gör du en vanlig vinägrette. Ät med quinoa.

TEMA: Nyttiga nypon

C-vitamin är mycket viktigt för kropp och hälsa. Och nyponet är bland det mest C-vitaminrika som finns att äta. Dessutom är nypon rikt på bl a kalcium, kalium och järn. Rent nyponpulver brukar finnas att köpa på hälsokosten.

Nypondryck

Vispa ner ett par matskedar nyponpulver i en liter vatten så får du en frisk, vackert orangefärgad, C-vitaminrik måltidsdryck. Låt vispen stå kvar så att du kan röra till den varje gång du häller upp ett glas.

Nyponsoppa

Blanda i en knapp deciliter nyponpulver och önskad mängd råsocker (efter hur söt som du vill att soppan ska vara) i en liter kallt vatten och kör med mixerstaven en liten stund.

Frukost, lunch och mellanmål

Rå-gröt

Lägg i fullkornskross eller hela fullkorn av något slag (t.ex. hel dinkel) i en skål och slå på kokande vatten (1 1/2 dl vatten mot 1 dl kross). Täck över med gladpack, folie eller en tallrik och vira runt en tjock handduk runt bunken så att värmen stannar så länge som möjligt (särskilt de hela fullkornen kan behöva den där extra värmen).

Låt stå över natten. Ät till frukost rakt av eller med torkad frukt och mjölk. Nötter kan vara fint till också.

De blötlagda fullkornen eller fullkornskrosset står sig fint i kylen i flera dagar. Det är bara att använda sig av dem i matlagningen så som det passar. Till soppan, salladen, plättarna etc

42

Goda filen

Om man vill få i barnen lite nyttigheter med filen så kan man blanda ner solrosfrö, sesamfrö och havrekli ihop med några andra lite mer lättgillade flingor typ "Start".

Russin, banan och sylt underlättar också intaget av fröerna och kliet.

Mjölk med skalade äppelbitar och annat

Jag gjorde en variant till min son som funkade fint.

Skala ett äpple och skär i bitar, strö över fröerna och kliet från föregående recept samt russin och en näve "Start" – mycket uppskattat.

De söta, lite knäckiga köpeflingorna passar verkligen bra ihop med äpplet och fröerna.

Hemmagjord müsli

havregryn
rågflingor
hackade nötter
solrosfrön
torkad frukt efter behag
kokosflingor

Blanda lika delar havregryn och rågflingor med grovt hackade nötter och hela solrosfrön. Rosta i ugn på 200 grader i 6 minuter, rör om och håll koll så att det inte blir bränt.

Blanda därefter i till exempel russin, hackade torkade fikon, aprikoser och kokosflingor.

Vill man få i sig ännu mer fibrer och vitaminer, är det bara att blanda i linfrö, vetekli, havrekli. Man tar det som finns hemma.

Förvara müslin torrt.

Om du är ovan vid fiberrik mat

Om du är mest van vid "spagetti, mackor, kött-och-potatis-dieten" ska du inte ändra dina matvanor för plötsligt. Det är lätt hänt att man blir så där plötsligt supermotiverad för att börja en ny hälsosam livsstil. Men det kan bli väl chock-artat för en mage som är ovan vid fibrer, råa grönsaker och färsk frukt. Låt hellre övergången ske successivt.

Goda risfrukosten

Här är en lite annorlunda slags frukost för den som klarar av lite mera smak på morgonen.

kokt ris från kylen
gurka
tomat
ingefära
fisksås
ägg
red chili curry

Ta fram riset och lägg på en tallrik.

Hetta upp stekpannan. Blanda ett ägg med en matsked vatten i en skål och stek upp till en omelett (eller äggröra). Dutta i lite red chili curry i steket också.

Om du vill kan du även värma riset lätt.

Servera med en liten bit skivad eller tärnad gurka en liten bit skuren tomat, fint skuren ingefära, ev. en skvätt olja, gärna klippt persilja och krydda upp det hela med fisksås. Mums! Funkar som lunch också.

Middagar

Viltskav som räcker långt

Bryn 2–3 lökar i smör och salt. Lägg åt sidan. Bryn skavet med salt och peppar. Lägg tillbaka löken. Slå på en skvätt vatten och en burk crème fraiche, det ska vara såsigt. Lägg i frusna ärtor, skuren morot eller annat som passar (ju mer grönsaker, desto mer mat). Låt koka tills de mjuknat. Smaka av med salt, eventuellt lite buljong och en matsked vin eller två. Kryddor kan till exempel vara timjan och några stycken enbär.

Ät med potatis eller ris.

Limemarinerad kycklingfilé

några kycklingfiléer
1 lime
olivolja
kryddor, till exempel rosmarin

Pressa lime, häll i olivolja och kryddor i en skål och rör
om. Lägg ner kycklingen i skålen. Låt stå i kylen i några
timmar. Rör om några gånger.

Ställ in i ugnen på 200 grader i cirka 15–20 minuter.
Vänd bitarna någon gång.

Omelett med kokt potatis

2–3 ägg
2 kokta potatisar
ev lite lök
vatten
salt
persilja och tomat till garnering

Skär de kokta potatisarna i bitar och bryn dem. Bryn eventuellt också lite lök.

Rör ihop ett par ägg med två matskedar vatten, lite salt. Slå äggröran över potatisen. Håll lagom värme. Det gör ingenting om omeletten går sönder, garnera bara lite piffigt med persilja eller tomatskivor.

Sätt på ett lock

Ett tättslutande lock på kastrullen sparar mer energi än du tror. Koka potatis kan ta hälften så lång tid om du sätter på ett lock.

Omelett med stekt svamp och spenat

Rör ihop ägg, vatten (en matsked vatten per ägg) en nypa salt och lite peppar med en gaffel. Stek i stekpanna. Servera med bladspenat och stekt svamp (och eventuellt en grov smörgås till).

Potatissallad med rostbiff

Koka potatis. Skala och skär i bitar, lägg i en skål med finskuren purjolök och/eller hackad rödlök. Slå Anna-Marias dressing över (recept s 106). Servera med rostbiff eller annat kött om du vill. Böckling kanske?

Krämig god gratäng

Ansa och skär potatis, morot, purjolök och lök. Lägg i en ugnsfast form. Koka upp mjölk med buljong och riv i lite ost. Slå över mjölk och även grädde över grönsakerna, det ska knappt täcka. Riv ost över.

Ställ i ugn på 200 grader i cirka 50 minuter.

Ät gratängen som den är utan något till, eller med något sovel (kött av något slag).

Lamm med couscous

När hösten kommer brukar det vara billigt med lammkött.
Då föreslår jag att du köper grytbitar och gör en lamm-
gryta.

lammgrytbitar
olja eller smör
lök
morötter
burktomater
tomatpuré
vitlök
soja
kryddor, salt och peppar
couscous till servering

Be kötthandlaren dela ett stycke lammbog i mindre bi-
tar. Väl hemma bryner du köttet med olja eller smör i en
gryta. Lägg i lök och morötter som du skurit i stora bitar,
salta och peppra.

När köttet och grönsakerna fått färg häller du på vatten så att det knappt täcker.

Nu tar du ledigt en timme och låter grytan sakta koka. Det enda du behöver göra är att skumma av med en hålslev eller sked.

Efter en timme tillsätter du burktomater och tomatpuré och kryddar med t ex vitlök, soja, timjan och oregano. Smaka av med salt, peppar och kryddor tills du blir nöjd. Låt grytan koka lite till, sen är den färdig.

Servera med couscous och förslagsvis en tomatsallad med rå lök och fårost.

Ta det lugnt med paprikan

Var försiktig med att ha i paprika i maten, i synnerhet i soppor och grytor där paprikasmaken tenderar att ta över totalt. Detta gäller inte för de rätter som ska bygga på paprikasmaken, som till exempel gulaschsoppa.

Mammas chili

små bönor (till exempel schoori-bönor men det går bra
med annat också – man tar det man har hemma)
tomat på burk eller färska tomater
thai chilisås
1–2 lökar
1–2 äpplen
paprika
gärna hela korianderfrön (smakar gott och ger lite spän-
nande tuggmotstånd)
chilipulver
salt

Koka bönorna enligt beskrivningen på förpackningen.
Skär löken i bitar och bryn den lätt ihop med äpple och
paprika.

Slå på tomat och låt blandningen puttra ihop en stund.
Häll på lite extra vatten. Smaka av med kryddor och chi-
lisås. Lägg i de kokta bönorna. Smaka av igen. Låt puttra
ytterligare en stund. Servera chilin med vitlöksyoghurt.
Samma sås kan ätas till couscous eller varför inte ris.

Musslor

Köp en nätpåse musslor (cirka ett kilo). Borsta musslorna ordentligt och få bort skägget. Kasta öppna musslor. Fräs en hackad lök och ett par vitlöksklyftor i olivolja i en kastrull. Lägg i musslorna och låt dem fräsa med ett par minuter. Lägg i hackad persilja. Slå i 3 dl vitt vin och en halv liter vatten. Häll i lite buljong (gärna egenkokt, se recept på s. 128) och smaka av med salt (inte för snålt). Låt musslorna koka 7–8 minuter. Lägg i mer persilja. Ät med rostat vitt bröd.

Se dock upp med musslor som fortfarande inte öppnat sig. Dem ska man inte äta.

Smaka av tills du blir nöjd

Smaka av såser, soppor och grytor tills du blir nöjd. På så sätt tränar du upp din egen säkerhet. En bra buljong (utan glutamat) är ofta räddningen på menlös smak.

Fisk med kokosmjölk och curry

Koka fisk (delade i portionsbitar) i kokosmjölk och röd curry (eller gul eller grön curryblandning som brukar finnas i välsorterade butiker). Smaka av med eventuellt lite fisksås.

Om du vill ha med grönsaker i koket så ska de i före fisken, den ska inte kokas så länge.

Ät med ris.

Stekt salt sill med löksås

Köp steksill. Skölj den och låt den rinna av. Vänd filéerna i rågmjöl, stek dem i smör på lagom värme.

Löksåsen:
Skiva ett par lökar och bryn dem lätt med en gnutta salt. Slå på en trea grädde och låt det puttra ihop till en sås. Smaka av med peppar och salt. Ät med kokt potatis.

Väldoftande thailändska fiskbiffar

Detta är ett fiffigt sätt att tillaga till exempel alaska pollock och sej, fiskar som inte är utrotningshotade, men som kanske är lite tråkiga i smaken. Så här blir det jättegott!

De här biffarna kan varieras, så om inte alla ingredienserna finns hemma går det bra ändå. Experimentera lite själv!

400 gram fisk (ett fiskblock)
1 ägg
3 msk majsmjöl
2 msk fisksås
1/2 dl färska hackade korianderblad
en stjälk citrongräs
1 msk hackad galangarot
1/2 kaffirlimeblad som hackas noga och fint
2 tsk sambal oelek eller röd curry
10 stycken haricots verts som hackas
en liten bit hackad lök

Kör fisk, ägg och mjöl i mixer tills det blir en slät smet.

Lägg färsen i en skål och blanda i de övriga hackade ingredienserna och kryddorna.

Forma små biffar med en våt hand eller med sked. Stek dem med mycket olja tills de är gyllenbruna. Låt fiskbiffarna (kakorna) rinna av på hushållspapper. De går bra att frysa in eller ha i kylen några dagar.

Ät lagom

Ät dig inte proppmätt utan "nöjdmätt". Det är bättre att äta mindre mängd mat av hög kvalitet, som är ren och innehåller de goda fetterna, än att trycka i sig stora mängder mat av mindre god kvalitet.

En mage som får bra mat tar upp näringen bättre än en mage som stressas av raffinerad mat. Du slipper dessutom en uttöjd magsäck som kräver onödigt mycket mat för att bli mätt.

Ratatouille

5 paprikor (gärna i olika färger)
2–3 lökar
1 aubergine
1 zucchini eller en bit squash
8 tomater
2–3 vitlöksklyftor
1 lagerblad
ca 1 tsk timjan
ca 1 1/2 tsk salt

Skär grönsakerna i grova bitar. Auberginen i knappt centimetertjocka skivor som du delar till halvor. Bryn löken, zucchinin och auberginen.

Auberginen kräver lite noggrannare omsorg vid bryningen. Låt skivorna steka sakta i olja för sig själva tills de har fått färg och mjuknat. Vill du undvika fett pressar du skivorna med stekspaden samtidigt som du vinklar stekpannan så att oljan kan rinna ut.

Lägg alla grönsakerna i en kastrull. Låt blandningen sakta småkoka.

Lägg i ett par skivade vitlöksklyftor och ett lagerblad. Slå i en skvätt olivolja eller annan olja. Och häll i ett par matskedar av saften från en citron. Smaka av med salt och timjan.

Låt det puttra utan lock i 45–60 minuter. Rör om då och då. Gott till kryddig korv, kött, fisk och vegetariskt.

Enkla men goda spagettisåsen

3 lökar
3 morötter
tomatpuré
crème fraiche

Tärna morötter och lök och fräs dem mjuka i olja och lite salt.

Slå sedan i tomatpuré (en rejäl skvätt), en crème fraiche och en skvätt vatten.

Låt såsen puttra ihop en stund. Smaka av med lite fisk-sås eller buljong och önskade kryddor.

Servera spagetti eller ris och något grönt till.

Om såsen blir för tjock, späd bara ut den med lite mer vatten!

Ugnsbakad potatis med tillbehör

Tvätta noggrant ett antal stora potatisar och lägg dem på en plåt. Baka potatisarna på 225 grader i cirka 50 minuter, känn efter med sticka om de är färdiga.

Skär ett kryss på ovansidan och kläm ihop potatisen lite lätt från sidorna så att krysset öppnar sig. Lägg i önskad fyllning. Här kommer ett par förslag:

* Smör och grovmalt salt. Man kan dessutom smaksätta smöret med kryddor, vitlök och finskurna färska örter, t ex persilja, timjan m m.

* Gräddfil blandad med crème fraiche, salt, grovmalen peppar, finklippt gräslök, hackad rödlök, lite citron och/eller vinäger, räkor eller stenbitsrom eller vanlig kaviar; det är bara att pröva sig fram till önskad smak.

Stekta skivor av rotselleri

Skala och skär rotsellerin i skivor (något tunnare än centimetertjocka).

Låt rotsellerin långsamt mjukna i stekpannan med lite olja. Stek gyllenbruna. Salta på båda sidor.

Vitlök kan vara gott till också.

Servera med plock av något slag. (Se förslag s 65.)

Wokade grönsaker

Woka små bitar av något kött, kyckling eller räkor. Den som inte har en wok får ta stekpannan i stället.

Det behöver inte vara så mycket kött eller räkor för att det ska sätta piff på middagen; det går också bra att helt hoppa över köttet om man vill bjuda vegetariskt.

Smaksätt gärna med en bit finskuren ingefära, vitlök och lite salt. Det är viktigt att woka grönsaker och kött i omgångar så ett det inte blir för mycket i pannan åt gången, dessutom tar olika grönsaker olika lång tid.

Salta och häll på soja, typ Kikkoman, på slutet. Smaka av med önskade kryddor – se förslag. Ät med ris eller nudlar.

Förslag till grönsaker

Morötter, purjolök (även det gröna), broccoli, kinakål, haricot verts, lök, paprika, gröna frysta ärtor, bambuskott, vattenkastanj, tunt skuren potatis, cashew- eller jordnötter m m – allt efter tillgång och ekonomi.

Förslag till kryddor och annat tillbehör

Sambal badjak/oelek, ingefära, vitlök, currypasta, spiskummin, jordnötssås, olja på rostade sesamfrön m m.

En god sås till den här typen av mat är den thailändska söta chilisåsen för kyckling, välj den sorten som inte är för stark. Gott!

Tugga väl

Tuggar du maten väl
så smälter magen
maten lättare och
näringen tas upp
bättre.

65

Rösti

Gott till alla slags rätter i stället för kokt potatis.

Riv potatisen grovt (cirka 8–10 st för en stekpanna). Smaka av med salt. Hetta upp stekpannan. Lägg i smör. När smöret smält och stillnat, lägger man i rivet i hela pannan (som en pannkaka fast tjockare). Sänk värmen och låt den stå i cirka 8–10 minuter, vänd på slutet. Om man ska bjuda fler än 4 gäster kan det vara idé att laga i två stycken stekpannor samtidigt.

Råraka med gräddfil och rom

Riv potatis, grovt på rivjärn, ner i en skål. Hetta upp en stekpanna och häll i lite olja, sänk värmen lite grann. Klutta ut och platta till lagom stora plättar. Jag tycker det går bra att salta direkt på rårakorna i pannan i stället för att salta smeten i förväg. Gott med t ex: gräddfil, löj- eller stenbitsrom, avokado, finhackad rödlök och eventuellt lite citron.

Råraka på rotfrukt

I stället för enbart potatis så kan man göra råraka på rotfrukter.

Ta lika stor mängd av varje sort:

potatis
rotselleri
palsternacka

Riv på rivjärnet. Blanda rivet i en skål och stek till små plättar i olja på medelhög värme. Salta direkt i pannan, gärna med havssalt, och stek rårakorna på båda sidor. De ska bli frasigt gyllenbruna.

Rödbetor med ädelost

Koka rödbetor.

Gör en krämig sås på ädelost som du mosar ihop med crème fraiche.

Servera såsen till de kokta rödbetorna.

Ät med råris.

Risotto

Risotto är bra för det kan varieras i all oändlighet. Med olika smaksättningar blir det som helt olika rätter. Här är två smakförslag: svamprisotto och citronrisotto. Men prova dig fram och använd det du har hemma. Det blir krämigt och jättegott!

Risotto med citron

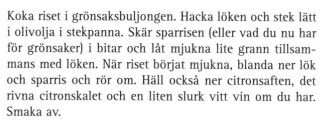

3–4 dl avorioris
6 dl grönsaksbuljong
1 gul lök
1 pressad citron
lite rivet citronskal från samma citron
lite vitt vin om du har hemma
salt och peppar
olivolja
någon grön grönsak som t.ex. sparris eller haricots verts
riven lagrad ost, gärna parmesan

Koka riset i grönsaksbuljongen. Hacka löken och stek lätt i olivolja i stekpanna. Skär sparrisen (eller vad du nu har för grönsaker) i bitar och låt mjukna lite grann tillsammans med löken. När riset börjat mjukna, blanda ner lök och sparris och rör om. Häll också ner citronsaften, det rivna citronskalet och en liten slurk vitt vin om du har. Smaka av.

Blanda i riven ost, rör om, servera!

Risotto med svamp

3–4 dl avorioris
4 dl svampbuljong
2 dl viltbuljong
lite rött vin om du har hemma
1 gul lök
minst 10 champinjoner
gärna någon annan sorts svamp också, antingen om du
har plockat i skogen eller om du har råd att lyxa till det
med flera sorter i affären
salt och peppar
smör
riven lagrad ost, gärna parmesan

Koka riset i buljongen. Hacka löken.

Skär svampen i bitar och stek med salt och peppar i
en stekpanna bredvid. När svampen "vattnats ur", häll i
den hackade löken och stek tillsammans med svampen en
stund.

Se till att riset inte kokar torrt eller bränns vid i kast-
rullbotten – häll med jämna mellanrum på mer buljong

(om buljongen tar slut, häll på lite vatten) och rör om medan riset mjuknar, detta är hemligheten bakom en riktigt krämig risotto. Häll också ner en slurk rödvin om du har.

Blanda ner svamp- och lökblandningen i riset, rör om, häll eventuellt på mer buljong/vatten om det behövs. När riset har mjuknat, smaka av risotton. Se till att den inte är för salt, eftersom det sista som ska göras är att röra ner riven ost vilket ju ökar på den salta smaken!

Servera med lite riven ost vid sidan av att strö på!

Se recept på hemmakokt buljong s. 31 och 128.

Överblivet vin

I stället för att slänga överblivna vinslattar, frys in vinet i en istärningspåse och släng ner i kastrullen nästa gång du gör en god middag.

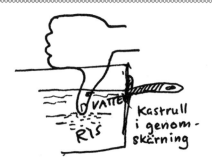

Kastrull i genom-skärning

Genväg till att mäta upp ris

Häll i vatten i kastrullen och slå i riset. Mät vattenmängden med tummen. Vattnet ska nå upp till knappt ovanför tummens första led då tummen nuddar riset. Det kan vara en aningens högre upp för råris.

Koka upp, sänk värmen till ettan och koka under lock (cirka 30–40 minuter för råriset). Glöm inte saltet.

Om vattnet skulle kokat bort innan riset är klart, skvätt bara i lite till vatten, och tvärtom om det är vätska kvar när riset är färdigt – ta av locket och låt vattnet koka bort.

Enkla falafelbiffar

1 burk kikärtor
1–2 klyftor hackad vitlök
hackad persilja
1 tsk koriander
3/4 tsk kummin
2 msk mjöl
1/2 tsk salt
sesamfrö

Kör ingredienserna i matberedare till en tjock smet. Eller stöt med en mosstöt.

Forma till små bollar, lite tillplattade och vänd i sesamfrö.

Stek i olja, ett par minuter på vardera sida.

Goda biffar på linser och rotselleri

Jag experimenterade lite med att göra vegetariska biffar av kokta linser och rotselleri. Det blev riktigt gott.

linser
vatten
rotselleri
ägg
mjöl
salt, peppar, spiskummin

Koka upp linser med en aning
mer vatten än dubbla mängden (dvs 1 dl linser blir 2 dl vatten plus lite till). Lägg även i rotselleri. (Jag tog en bit rotselleri, skalade och skar i bitar och lade i.)

När linserna och rotsellerin är färdigkokta, mosa dem med mosstöt direkt i kastrullen. Blanda i ett ägg och lite mjöl av något slag, jag tog bovetemjöl.

Jag hade även i några matskedar av rå-gröten från kylen (det var 4-kornskross, se recept på rå-gröt s 42) men det är inte nödvändigt.

Smaka av med salt, peppar och spiskummin.

Smeten ska vara ganska lös men ändå någorlunda formbar.

Hetta upp stekpannan med ganska rikligt med olja. Klutta i smet med en sked direkt pannan. Det går bra att snygga till biffarna direkt i pannan med stekspaden.

Servera med sweet chilisås och yoghurtsås (naturell yoghurt med lite salt).

En annan middagsvariant med biffarna kan vara med ris, tzatziki, tomatsås och avokado.

Vattenkokaren spar energi

En elektrisk vattenkokare drar en tredjedel så mycket energi som en spisplatta. När du ska koka upp vatten ska du alltså använda vattenkokare istället för kastrull på spisen.

Tomatsoppa med bulgurvete och annat

Bryn 1–2 hackade lökar i olja i en soppkastrull (löken ska bara mjukna, inte bli brun). Slå på vatten. Pytsa i tomatpuré (det ska vara ganska mycket så att soppan blir mustigt "tomatig"). Lägg i 1–2 dl bulgurvete. Smaka av med buljong, sellerifrön och paprikapulver. Låt småputtra en halvtimme.

Smaka av med salt och peppar. Vitlök kan pressas i på slutet också om man vill.

Servera med en klick yoghurt eller gräddfil.

Vill man ha kött till kan man låta skuren korv koka med (gärna korv som är lite starkare och kryddig).

Superenkla men goda linssoppan

Du kan strunta i mina mått och bara göra på känsla i stället så går det snabbare och enklare. Men jag brukar göra så här:

2–4 portioner

7 dl vatten
1–2 dl röda linser
halv eller hel lök
1/4 dl tomatpuré, 1 1/2 tsk salt, paprikapulver
2 stora eller 3 mindre potatisar
lite buljong

Häll vatten i en kastrull (gärna en större sådan så slipper du riskera att soppan kokar över). Lägg i röda linser, några skalade potatisar, en eller en halv skuren lök, tomatpuré och salt. En skvätt olivolja är gott att ha i också.

Låt koka upp och sänk sedan till ettan, så lagar sig soppan i lugn och ro. Det blir godare om soppan får koka ganska länge, i alla fall en halvtimme. Smaka av med eventuellt mer buljong så att smaken blir fyllig.

Variera linssoppan med andra grönsaker, till exempel en morot och en bit rotselleri.

Kryddstark kokossoppa med räkor

Denna soppa är en kryddstark historia. Passar som kärleks-
måltid och jagar liv i livsandarna – enligt receptgivaren.

500 g oskalade räkor
4–5 dl vatten
lite räkbuljong
(se recept s. 128)
1 burk kokosmjölk, cirka 4 dl
2 vitlöksklyftor
2 tsk thailändsk currypasta

Skala räkorna. Koka räkskalen i 4–5 dl vatten i 10 minuter.
Sila av skalen. I med buljongen.

Häll på kokosmjölken. Pressa ner vitlöksklyftorna. Till-
sätt currypastan. Obs! Var försiktig, den är STARK!

Koka i 20 minuter. Lägg i de skalade räkorna.

Servera!

Släta soppor

Koka skalade och skurna rotfrukter i så mycket vatten att det täcker och lite till. Det kan vara potatis, kålrot, morötter, rotselleri m m.

När rotfrukterna mjuknat plockar man upp dem med hål-slev och kör dem i mixer. Lägg tillbaka moset i soppspadet. Smaka av med buljong, matlagningsgrädde, crème fraiche eller liknande.

Ingefära, mald koriander och en skvätt apelsinjuice passar ihop med morötter. Experimentera!

Glöm inte att klippa färsk persilja över soppan vid servering. Ät med varma smörgåsar, gärna gjorda på grovt bröd. Lägg groddar på smörgåsarna vid servering.

Soppa på mandel, avokado och morot

Lägg 2 dl sötmandel i blöt i vatten 4–10 timmar. (På morgonen till exempel.)

Häll bort vattnet och skala mandeln. Koka 6 morötter mjuka i 7 dl vatten. Spara vätskan och kör morötterna i mixern, lägg sedan tillbaka i vätskan. Smaka av med buljong. Mixa mandeln och sedan även en avokado.

Ta av morotssoppan och lägg i avokado- och mandelmix utan att koka dem. Servera direkt.

Ett "kallsoppe"-alternativ är köpt grönsaksjuice som blandas med avokado- och mandelmixen.

Emmas morotssoppa

1,5 l vatten
grönsaksbuljong motsvarande vattnets mängd
1 tsk timjan
12 stora morötter, eller drygt 1 kg
10 medelstora potatisar, ca 1/2 kg
2 gula lökar
1 1/2 tsk salt
vitpeppar
2 dl matlagningsgrädde

Emmas goda, lite söta soppa räcker till ett hungrigt matlag och gillas av både gammal och ung. (Går bra att frysa också).

Koka upp vatten, buljong och timjan i en stor kastrull. Morötter, potatis och lök skalas och skärs i bitar. Grönsakerna kokas mjuka i buljongen.

Plocka upp grönsakerna (spara spadet) och kör dem i mixern, lite i taget. Lägg i en bunke under tiden. När allt är mixat, häll tillbaka mixet i kastrullen och värm. Häll i grädde och smaka av med peppar och salt.

Bröd och ost är gott till.

12 glada morötter, mm.

Lagad mat

Middagsrester som ska sparas, kyls snabbast i kallt vattenbad. De flesta bakterier växer snabbt i rumstemperatur.

Slät rödbetssoppa
med potatis och selleri

Skala några rödbetor, ett par potatisar, en bit rotselleri och en gul lök. Skär grönsakerna i bitar och koka dem i cirka 15 minuter.

Ta upp grönsakerna men spara vätskan. Mixa i en matberedare och häll tillbaka i kokvattnet.
Häll i grönsaksbuljong.
Eventuellt behövs mera salt.
Runda av med en skvätt
matlagningsgrädde, eller
annan grädde.
Servera med en klick
gräddfil eller yoghurt.

Het tomatsoppa från Övermo med korianderfrön och svartpeppar

1 purjolök
1/2 tsk curry
1 msk hela korianderfrön
2 burkar krossade tomater
7 dl vatten
buljong motsvarande vattnets mängd
200 g kassler
grovmalen svartpeppar
persilja

Tillbehör:
1 kokt ägg per person, citronklyftor

Fräs curryn försiktigt i lite margarin. Lägg i purjon, skuren i mindre bitar, och låt den fräsa med ett tag.

Slå i burktomater och vatten. Tillsätt buljongen, koriandern och kasslern, som skurits i mindre bitar. Koka soppan i 15 minuter. Smaka av med svartpeppar och strö persilja över. Soppan ska kännas het i smaken.

Ät den med äggklyftor och citron som pressas i.

Blomkålssoppa

Det här är godare än vad det låter.

Bryt 1–2 blomkålshuvuden i små buketter och lägg dem i en kastrull med kokande vatten. Det ska vara så mycket vatten att det gott och väl täcker.

Tag upp blomkålen efter fem minuter, men häll inte bort vattnet!

Lägg buketterna på is eller i isvatten. Spadet kan stå kvar på plattan, låt vätskemängden koka ihop något.

Häll i hönsbuljong. Slå i 1–2 dl grädde, hackad persilja och hackad gräslök.

Smaka av. Behövs det mer buljong eller salt?

Lägg i blomkålen och låt den koka i tio minuter. Strax innan du serverar soppan rör du ner två äggulor. Soppan blir allra godast om den lagas dagen innan den ska ätas.

Broccolisoppa

Broccolisoppa gör du i stort sett på samma sätt som blom-kålssoppan, fast du låter broccolin koka i endast tre mi-nuter.

Om du vill kan du köra broccolin i mixern efter an-dra kokomgången, så att du får en slät grön soppa. Spara dock några hela buketter.

Testa att stänga av plattan

Det finns rätter som går utmärkt att laga på eftervärme, ta till exempel broccoli. Koka upp och dra sedan ifrån plattan. De kokar färdigt i det varma vattnet utan att spisen är på. Det sparar energi och du riskerar inte att överkoka grönsakerna. Går också bra med ris som ska stå på eftervärme. Ett slags slow-cooking.

Enkel snabblagad festnudelsoppa

Köp en grillad kyckling. Tag bort skinn och ben och skär kycklingköttet i lagom stora bitar.

Tvätta en purjolök noggrant och strimla den. Hetta upp en soppkastrull med en skvätt olja i botten. Bryn purjon lätt. Slå på 1 1/2 liter vatten. Koka upp. Häll i buljong, gärna egenkokt, annars buljong utan glutamat. Lägg i köttet, en näve frusna gröna ärter, nudlar och pulver från två stycken snabbnudelpåsar med kycklingsmak (eller annan smak).

Om soppan blivit för salt – späd med mer vatten, om den blivit för tam – ha i mer buljong.

Buljongen är det avgörande

Smakar en soppa eller gryta eller sås för mjäkigt är det bara att stärka upp den med buljong. Och har du haft i för mycket buljong – dryga bara ut med mer vatten eller grädde. Köp buljong utan glutamat – eller gör egen buljong hemma (s 31 och 128)!

Gulaschsoppa

När vintermörkret lagt sig och kylan tränger på passar det perfekt att bjuda på en god, rykande varm gulaschsoppa. Här kommer sopprecepet. Vill man att det ska bli en gryta slår man i en mindre mängd buljong, lägger i mer lök och mindre potatis. Servera med ris, couscous eller pasta.

1/2 kg nötkött (grytkött)
3 lökar
4–6 potatisar
2 liter buljong (till en gryta räcker det med cirka 1/2 liter buljong)
4 msk tomatpuré
1–2 msk paprikapulver
1/2 tsk mald spiskummin
1 tsk mejram
salt och peppar
en vitlöksklyfta om man vill
likaså en skvätt torrt vitt eller rött vin

Skär kött, lök, paprika i lagom stora bitar. Fräs grönsaker och kött lite lätt i omgångar i en gryta.

Lägg i köttet och de frästa grönsakerna i grytan, rör i tomatpurén och kryddorna och låt allt fräsa försiktigt under lock ett par minuter. Häll därefter i 2 liter buljong. (Cirka 1/2 liter buljong om det ska bli en gryta).

Nu ska gulaschen puttra under lock i cirka en och en halv timme. Lägg i skalad och tärnad potatis efter halva tiden. Salta och peppra, men glöm inte att buljongen redan är salt, så smaka av först.

Namnet gulasch kommer från ungerskans gulyás – herde och hús – kött. Gulaschbaron är för övrigt ett danskt uttryck från början. Det användes nedsättande om de individer som gjorde grova pengar på matleveranser av gulaschsoppa till krigande länder under det första världskriget.

Fransk löksoppa

7–8 lökar
2 liter buljong
salt och peppar
timjan
lite öl om man har hemma
vitt bröd
ost

Fräs hackad eller skivad lök i en rejäl klick smör, margarin eller olja på svag värme i en soppkastrull. När löken mjuknat och fått lite färg är den färdig.

Slå på vattnet och häll i buljongen. Låt koka upp. Smaka av med salt, peppar, timjan och eventuellt en liten skvätt öl. Låt soppan småkoka under lock i 20 minuter.

Häll upp i ugnsfasta soppskålar. Lägg en skiva rostat vitt bröd ovanpå soppan i varje skål och strö över riven ost på toppen.

Gratinera i ugn på 275° i 5–8 minuter, tills osten fått en fin gyllengul färg.

Servera med t ex persilje- och vitlöksbröd och öl.

Potatis- och purjolökssoppa

Skala cirka 15 potatisar och skär i bitar. Häll på 1 1/2 liter vatten i en kastrull och häll i buljong. Lägg i potatisen och koka den mjuk. När potatisen mjuknat kan man stöta den med mosstöt eller gaffel. Skär 1–2 väl rengjorda purjolökar fint och lägg i soppan, koka dem mjuka. Krydda med timjan, peppar, eventuellt mer salt, och vispa i en crème fraiche. Servera med varma smörgåsar eller krutonger.

sallader

Matig god sallad med kidneybönor

Det här receptet kan varieras i det oändliga, allt efter tycke och smak. Det är bara att experimentera.

kidneybönor
morot
lök
fårost
olja
citron
vinäger
havssalt

Ta en näve kokta kidneybönor (eller andra bönor efter tycke och smak) och lägg i en skål.

Skär ner en tomat, slanta en morot, hacka en liten bit lök och smula över lite fårost (kan dock uteslutas vid absolut lågbudget).

Stänk lite olja över (inte för snålt), pressa i citron eller slå i en skvätt vinäger. Salta (gärna med havssalt och liknande bättre salt). Det ska vara en väl avvägd balans mellan salt och syrligt, då blir det riktigt gott.

Det var grunden, men sedan kan man ha i vad som finns hemma och piffa upp salladen ytterligare. Här kommer olika förslag:

färsk basilika
avokado
bladpersilja
hackad chili
solrosfrön
gurka
kokt potatis
lättkokta haricots verts

Den här salladen mättar och kan varieras och kombineras med allt möjligt. För den som inte gillar det syrliga går det bra med bara olja och i stället smaka av med en aning finhackad vitlök och salt. Var inte för snål med saltet – det ska inte smaka tamt!

Marinerad bönsallad med grönsaker

marinerade stora vita bönor (se recept s 117)
gurka
tomat
hackad rå lök
gröna ärter
haricots verts
pressad vitlök efter behag
salt
pressad citron

Koka ärter och haricots verts lätt. Skär grönsakerna i bitar. Blanda ner alla ingredienser i en skål och servera med olivolja, pressad vitlök, salt och citron.

Rotsellerisallad

Sallad på rotselleri är vanlig i Frankrike. De kokar oftast sellerin först, men det gör vi inte i det här receptet.

Riv en bit rotselleri på den grova delen av rivjärnet. Blanda rivet med majonnäs, vinäger, salt och peppar. Om du vill kan du ta lite mindre mängd majonnäs, och en liten skvätt fil eller gräddfil i stället. Smaka av tills du är nöjd – det syrliga och krämiga ska vara väl avvägt.

Äpple-, avokado- och vitkålssallad

Tärna äpple, avokado och vitkål (lika mycket av varje) och slå en vinägrettsås över (olivolja, vinäger och salt).

Finstrimla en bit purjolök. Blanda ihop allt och smaka av.

Servera med en kycklingfilé eller en stekt laxbit eller ät salladen som den är utan något till.

Bulgurvete kan ju vara gott till också.

Vitaminkicken

Läggs upp direkt på salladstallrik: rivna morötter först, sen hemodlade groddar, därefter keso och sist solrosfrön över. Ringla gärna över fransk salladsås.

Våga testa!

Om du läser ett recept och saknar ingredienser
– pröva med något annat som du har hemma.
Var inte rädd för att ändra i recepten.

Knapersallad

1 mellanstor morot
1 liten eller mellanstor squash
1 broccolibukett

Skala morötter och squash, skalet på squashen kan vara hårdsmält och är därför bra att skala av helt eller delvis.

Dela morötterna och squashen i skivor och skär färsk broccoli i mindre delar. Häll över dressingen och låt dra en stund.

Om man får sallad kvar kan man woka den till middag nästa dag!

Lämplig dressing är på olivolja, vitlök, starksenap, vinäger och peppar. Balsamvinäger ger en mild och fyllig smak. Vill man få vitlöken lite mildare i smaken tar man bort grodden i mitten av vitlöken innan den pressas.

Röd bönsallad med soltorkade tomater och fetaost

En sallad som är lätt att sno ihop, och dessutom både mättande och nyttig.

1 burk kidneybönor
6 tomater
1 stor rödlök
några marinerade soltorkade tomater
100 g fetaost

Skölj bönorna lätt och låt dem rinna av. Skär lök och tomater, finhacka de soltorkade tomaterna och skär fetaosten i ganska små bitar.

Blanda ingredienserna, men försiktigt så att det inte bli kladdigt.

Häll över dressing och servera salladen med nybakt bröd.

En lämplig dressing görs på olivolja, vitlök, stark senap, vinäger och peppar. Balsamvinäger ger en mild och fyllig smak. Något salt behövs inte i dressingen.

Tabbouleh

1 dl bulgurvete
1/2–1 purjolök (gärna även av det gröna)
1 stor tomat
1 knippa slätbladig persilja
olja (gärna olivolja)
citron

Koka upp 1 del bulgur och 2 delar vat-
ten. Så fort det börjar koka stänger du av plattan men lå-
ter kastrullen stå kvar på eftervärmen. När bulgurkornen
svällt och absorberat vattnet är de klara. Skvätt i lite olja
så att kornen inte klibbar ihop.

Lägg bulgurvetet i en skål och låt det svalna. Blanda
ner citron, olivolja, hackad persilja, finskuren purjo, fint
tärnad tomat, eventuellt färsk mynta, salt (det ska inte
vara för osalt) och grovmalen peppar. Blanda väl.

Om man vill ha i basilika, vitlök och andra grönsaker
så går det naturligtvis bra, här kan man pröva sig fram
efter tycke och smak.

Anna-Marias allrounddressing

Den här dressingen kan du använda till allt möjligt.

söt senap
balsamvinäger
olja
lite vatten
italiensk salladskrydda

Blanda en rejäl klick söt senap, typ Slottssenap, med balsamvinäger (eller vitvinsvinäger) och olja. En skvätt vatten kan vara fint att ha i också, så att dressingen inte blir så fet. Anna-Maria brukar krydda den med italiensk salladskrydda, men det går bra med andra kryddor också, såsom gröna torkade örter och salt.

Dressingen är god till vanlig sallad, eller till en varm potatissallad med hackad röd lök eller purjolök.

Den kan även förslagsvis hällas över varma lättkokta haricots verts.

Citrondressing

*1/2 pressad citron (alternativt
citron och vinäger)*
*1 dl olja (hälften olja och hälften vatten gör en magrare
dressing)*
cirka 2 kryddmått salt (eller efter behag och avsmakning)
peppar
*kryddor efter smak och tycke (italiensk salladskrydda, ci-
tronpeppar, timjan, oregano eller Kikkomansoja är några
förslag)*

Smaka av tills
du blir nöjd!

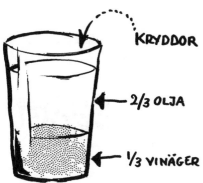

KRYDDOR

2/3 OLJA

1/3 VINÄGER

Tillbehör, smårätter, diper och såser

Snabbt och enkelt för hungrig

Sätt på en kastrull med vatten på spisen (några deciliter bara). Lägg i en nypa salt eller två.

Medan vattnet kokar upp skalar du några potatisar som du skär i bitar. Lägg i kastrullen. När potatisen börjar mjukna kan du även lägga i någon önskad grönsak från frysen.

Spara spadet och lägg upp grönsakerna på en tallrik. Ringla lite olja över. Salta. Ät med lite hackad rå lök och med förslagsvis tonfisk därtill.

Släng inte spadet – det kan du dricka upp i en kopp eller ha kvar till soppa till nästa dag. Spadet är basiskt och det är precis vad kroppen behöver. Om du vill kan du lägga i lite extra buljong i spadet. Det blir gott att dricka.

Surt och basiskt

De flesta av oss är mer eller mindre försurade. Det är således klokt att satsa på mat som är basisk.

Färska grönsaker och färsk frukt är basiskt. Torkade aprikoser innehåller mycket kalium, kalcium finns i torkade fikon och sesamfrö, magnesium finns i gröna grönsaker.

Kalcium, kalium och magnesium behövs för att man ska bli mer basisk.

Släng aldrig bort grönsaksavkok, det är nämligen fullt av vitaminer och det är basiskt.

Grönkåls- eller mangoldsås

Kokt grönkål är gott till bön-grytan. Den ska vara väldigt såsig, eftersom det blir lite torrt med riset och bönorna. Hacka grovt bladen av grönkål eller mangold. Skölj hacket. Hacka även löken lite grovt och fräs den i olja med vitlök.
Lägg till det gröna, tillsätt salt och soja och täck med vatten. Koka i en timme.
Eftersom det är svårt att få tag på färsk grönkål förutom juletid (då man tänker på annan mat) kan man i stället använda färsk spenat eller mangold.

Fisk med koriander och lime

Rör ihop i en liten skål:

1–2 lime eller en citron
thailändsk fisksås
en skvätt olja
hackade färska koriander (kan uteslutas vid absolut låg-
budget)
en bit finhackad röd chili
1 vitlöksklyfta, hackad
Det ska vara en balans mellan syrligt och salt, smaka av.

Dela ett block tinad sej eller liknande fisk i portionsbitar.
Koka upp en bottenskyla vatten i en bred panna. Lägg
i fisken och vänd dem efter en stund så att fisken blir
genomkokt på båda sidor. Låt vattnet koka bort (det ska
alltså vara ganska lite vatten).

Ta av fisken och låt svalna lite och slå över limebland-
ningen.

Servera till allt möjligt. Fisken blir även god kall.

Goda hemmagjorda allkryddan

2 dl mandlar
1 dl sesamfrön
2 msk korianderfrön
1 msk spiskummin
1 msk svartpeppar
1 tsk timjan
1–2 msk flingsalt

Rosta mandlarna i ugn på 200 grader cirka 10 minuter. Håll koll så att de inte bränns.

Rosta sesamfröna i stekpanna. De ska inte bli bruna bara gyllene så var försiktig.

Kör alltsammans i mixer.

Gott till allt möjligt: sallader, till maten, till riset, på smörgås etc

Smörstekt brysselkål

Brysselkål är så himla gott när man steker dem sakta med bara salt och smör. Gott som tillbehör till allt möjligt eller bara som de är.

Snabb-tzatziki

Häll upp yoghurt i en
skål. Smaka av med
vitlök, salt, liten skvätt
citron och olivolja. Har
du gurka hemma, skär
ner lite av den också.

Kaviardip

Rör ut vanlig kaviar i en skål med turkisk yoghurt eller
liknande. Blanda i finhackad rödlök (eller gul lök). Smaka
av. Gott till avokado och fisk t ex.

Två snabba tomatsåser

Gjord på tomatpuré:

1/2 dl tomatpuré
1 dl vatten
olivolja
salt

Värm tomatpurén med salt, en skvätt olivolja och vatten. En aning tomatketchup, koriander och spiskummin är gott att ha i också.

Gjord på krossade tomater:

1 burk krossade tomater
salt
olivolja
oregano
1/2 hackad lök (om man vill)
vitlök (om man vill)

Värm tomatkross med lite olivolja, salt, en halv hackad lök och oregano. Eventuellt vitlök och kryddor efter behag. Löken kan uteslutas. Gott till risrätter, till linser, etc.

Fuskpesto

ett par nävar bladpersilja
1/2 dl solrosfrön (eller kokosflingor,
det funkar faktiskt också fint!)
olivolja
salt
en bit lagrad ost
(kan dock uteslutas vid
absolut lågbudget)

Kör bladpersilja och solrosfrö, vitlök och ost i matbere-
dare. Blanda i olivolja på slutet, lagom så att det blir en
lagom tjock sås. Smaka av med havssalt.

Gott till soppa eller ugnsbakade grönsaker.

Glöm inte att frysa in billigt kryddgrönt

Frys in stora lager med persilja och dill då det är skördetid för
dessa. Det är perfekta att ha till hands vid matlagningen. Det
gröna är gott och ser fräscht ut på toppen av soppan, grytan,
sallader och annat. Det är dessutom onödigt att gå och köpa
en ny kruka för varje tillfälle då det behövs några stjälkar.

Goda enkla kikärter

Ta fram de kokta kikärterna från frysen (eller de nykokta från kylen). Slå i en skvätt olivolja i stekpannan och värm ärterna med sesamfrö och vitlök och salt. Servera till all slags mat (gärna med en yoghurtsås bredvid på tallriken.)

Marinerade stora bönor

4 dl torra bönor läggs i blöt över natten. Häll bort vattnet och häll på nytt, koka upp med en gul lök, ett lagerblad, 1 msk olja. Koka försiktigt i cirka 1 1/2 tim.

Häll över en vinägersås av olivolja och vitvinsvinäger. Smaksätt med fransk senap, mycket vitlök och rikligt med persilja. Slå över såsen medan bönorna fortfarande är varma. Det ska vara rätt mycket sås för den drar in i bönorna, det får inte bli för torrt. Salta och dra några varv med svartpepparkvarnen över.

Bönorna håller sig i cirka en vecka i kylskåp. Bönorna kan blandas i sallad, vara tillbehör till annat eller serveras med tunna rödlöksringar.

Marinerade morötter

Skala morötter och skär dem i skivor på cirka 1/2 cm.
Koka dem i cirka 5 minuter i lite vatten så att det precis
täcker.
Gör under tiden en marinad av:

olivolja
vinäger
salt och peppar
vitlök
oregano

Slå av vattnet från morötterna och häll dem direkt ner i
marinaden. Håller några dagar i kylskåp.

Hummus

300 g kikärter (cirka 4 1/2 dl)
2 dl olivolja
2-3 vitlöksklyftor
1-2 tsk vinäger (ej nödvändigt)
nästan 1/2 pressad citron
cirka 1-2 tsk salt, smaka av själv
ev. lite vatten

Lägg kikärterna i 1 1/2 liter vatten över natten. Koka dem i 40-60 minuter dan därpå.

Kör kikärterna i mixer. Blanda i olja, citron, vinäger och pressad vitlök. Häll i saltet, smaka av. Det är noga med sältan, det syrliga och det salta ska vara väl avvägt. Behövs det mer citron eller mer salt? Kanske en skvätt vatten också om hummusen är för tjock.

Ät med bröd eller som tillbehör till annan rätt – det är jättegott.

Marinerade paprikor

7–8 paprikor
1/2 dl 12 % ättika
1 dl olja
2 vitlöksklyftor
1/2 msk salt

Här kommer ett recept jag fått av en jugoslavisk husmor.

Lägg paprikorna i långpanna eller form. Ställ in i ugnen på 150 grader.

När paprikorna fått färg och mörknat på ovansidorna vänder man dem så att de blir rostade på båda sidor.

Därefter låter man paprikorna svalna, skalar dem och tar ut kärnhusen.

Skär paprikorna i bitar och lägg dem i en större glasburk.

Blanda ättika, olja, salt och pressa i vitlök. Häll blandningen över paprikorna. Låt stå med lock i kylskåp i några dagar.

RUCOLA PÅ STEKT BRÖD

Vitlöksdoftande stekt bröd med rucola

Använd vitt bondbröd eller mörkt bröd (gärna bakad på surdeg).

Hetta upp stekpannan. Slå i olivolja och lägg i ett par halverade vitlöksklyftor. Stek brödskivorna på medelgod värme. Stänk en aning vin över. Rosmarin eller timjan kan vara gott i också.

Stek på båda sidorna. Lägg på rucola och parmesanost. Ringla lite olivolja över. Tomat är gott till också men inte nödvändigt.

Eller så kan brödskivorna serveras så här:
Bred på ett ganska tjockt lager med gräddfil. Lägg sedan på tärnad gurka, bitar av paprika, klippt rucola, tomatskivor, några droppar citron och gourmetsalt.

Kikärter

Är också goda i olja, vinäger, vitlök och kryddor eller med tärnad färsk gurka och soja, typ Kikkoman.

Soltorkade tomater

Det är mycket billigare att köpa icke-marinerade soltorkade tomater, man kan marinera dem själv i stället.

Lägg tomaterna i kallt vatten några timmar, marinera dem sedan i olivolja, en liten skvätt vinäger, peppar, timjan och oregano. Låt tomaterna ligga i marinaden i några dagar.

Gott till sallader, eller bara som tilltugg på plocktallriken.

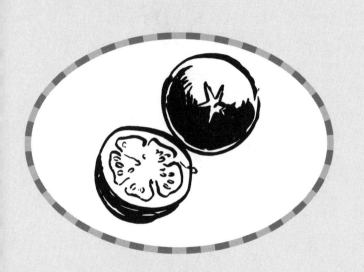

Pesto på nässlor

Koka (förväll) cirka 1 liter nässlor ett par minuter. Kör nässlorna och ett par matskedar solrosfrön i mixer. Finhacka ett par klyftor vitlök för hand.

Riv 1 dl ost (lagrad västerbotten, parmesan eller liknande).

Rör ner ost och vitlök och cirka 1 dl olivolja (matskedsvis) i nässelhacket – växla mellan oljan och den rivna osten till du fått en jämn smet.

Smaka av med salt.

Koka spagetti. (Gärna av den smala, platta sorten.)

Ta några matskedar av det kokande spagettivattnet och rör ner i peston.

När spagettin är kokt, med tuggmotståndet kvar, häller du av vattnet och blandar i peston. Smaka gärna av blandningen innan den serveras. Behövs det mer ost eller salt?

Gräddig god grönkålspesto

I denna pesto är basen grönkål i stället för basilika, vi tar sol-
rosfrön i stället för pinjenötter och grädde i stället för olja.

2 paket à 500 g fryst hackad grönkål
1 dl skalade solrosfrön
en kruka färsk basilika
7–10 färska tomater
2–3 rödlökar
5 dl grädde
citronpeppar
vitlök
olja

BASILIKA

Grönkålspeston är lättast att tillreda i en järngryta men det går också bra i en stekpanna, modell större. Hetta upp grytan/pannan med en skvätt olivolja i botten.

Fräs några skivade vitlöksklyftor i oljan. Lägg i grönkålen och stek den långsamt på medelvärme. Grönkålen är inte färdigstekt förrän den har mörknat och blivit riktigt uttorkad och det börjar lukta lite rostat (den ska nästan bli bränd).

Rör ner grädde i grönkålssteket och lite buljong. Smaka av om det känns lagom salt. Låt såsen puttra en stund. Konsistensen ska vara ganska krämig – det går bra att dryga ut med vatten om vätskan dunstar.

Blanda i finhackad basilika, hackade solrosfrön, riven lagrad ost (gärna modell västerbotten eller parmesan), finhackad rödlök och tärnad tomat och eventuellt citronpeppar.

Garnera med några hela solrosfrön och basilikablad.

(Riven parmesanost i en skål på bordet gör ju inte direkt middagen sämre.)

Egen buljong

Räkbuljong

Koka egen buljong av räkskalen som blivit över och frys in i kuber.

Koka en till två morötter med selleri och lite lök i en kastrull, det ska vara bara lite vatten. Låt dem sjuda en halvtimme.

Fräs räkskalen snabbt på hög värme i en stekpanna, bränn inte vid, rör hela tiden. Lägg i kastrullen och låt koka samman med grönsakerna en stund. Sila av och frys in.

Grönsaksbuljong

Koka grönsaker, till exempel ett par potatisar, en lök, en bit selleri, morot, örtkryddor och lite havssalt.

Skär grönsakerna i bitar och slå på vatten så att det knappt täcker. Låt buljongen sjuda på låg värme några timmar.

Vattenmängden ska vara knapp så du kan behöva fylla på lite någon gång då och då.

Egen dipmix

Smaka av gräddfil med önskade kryddor och buljong. Paprikapulver ger t ex både fin färg och smak.

De enkla yoghurtsåserna

Yoghurtsåser passar till all slags mat. De är ett magert alternativ till feta såser, och de går också snabbt att röra till. Yoghurtsåserna är användbara till ris och potatis, till kokta grönsaker och grönsaksbiffar, till kött, fisk, kokta bönor och en hel del annat.

Örtvarianten

Blanda mild yoghurt med lite salt (och buljong om du har), peppar och färska örter. Passar bland annat till fisk.

Spiskumminvarianten

Yoghurt som smakas av med spiskummin, en skvätt citron, salt och kanske citronpeppar.

Egna varianter

Ta någon av dina favoritkryddor, typ italiensk salladskrydda, chilipulver, örtsalt, curry, örtkryddor, rosépeppar eller riven pepparrot och blanda med yoghurten. Om du vill kan du runda av smaken med lite olivolja.

Nubberöra på grovt bröd

Rör ihop en blandning av:
gräddfil eller turkisk yoghurt
majonnäs
finhackad dill
kaviar
och blanda i:
matjesill i mindre bitar
kokt potatis i tärningar
fint skuren purjolök
hackad rödlök

Smaka av med salt och peppar. Ät på grovt bröd, gärna kavring.

Gubbröra

ansjovis
hårdkokt ägg
finhackad rödlök
gräddfil eller liknande
finhackad dill

Rör ihop och lägg på knäckebröd.

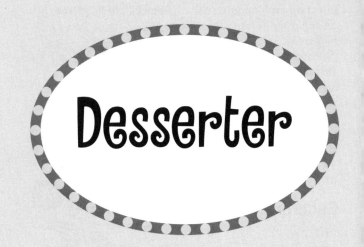

Desserter

Smulpaj på havregryn

3 nävar havregryn
smör
råsocker
några äpplen
hackade hasselnötter (om man vill)
kanel (om man vill)

Sätt på ugnen på 200 grader.

Blanda ihop i en bunke: 3 nävar havregryn med smör och råsocker. Använd handen. Degen ska vara smulig (men inte för torr) och lagom söt. Smaka av.

Skär några äpplen i bitar (cirka fyra stycken). Lägg i en ugnsfast form. Strö ut havreblandningen ovanpå äpplena. Grädda en halvtimme i ugnen.

Pajen blir extra god med hackade hasselnötter på toppen. Kanel kanske. Och om man vill kan man ta lika delar havregryn och vetemjöl i stället för bara havregryn.

Servera med vispgrädde.

Gratinerade äpplen

6 stora äpplen
3 msk sirap
3 msk hackade hasselnötter

Gröp ur kärnhusen, men låt det inte gå hål
rätt igenom äpplet. Ställ äpplena på en smord
ugnsfast form. Fyll dem med sirap och nöt-
hack, låt sirapen rinna över kanterna. Gratinera
i ugnen, 225 grader, i 15–20 minuter. Servera
med vaniljsås, grädde eller glass.

Frukt med gräddyoghurt

cirka 7 dl fint skuren frukt av något slag (jordgubbar, apelsin, persikor, ananas)
1 ½ dl grädde
2 limefrukter
1 dl matlagningsyoghurt/turkisk yoghurt
2 tsk fruktsocker

Skär frukten i tunna skivor. Vispa grädden tjock.

Riv skalet av limen (tvätta dem först). Blanda i rivet och saften från limen också fruktsockret i yoghurten. Vänd försiktigt i grädden också.

Varva frukten och gräddyoghurten i glas. Servera.

Goda chokladbollar

100 gram mörk choklad
5–6 torkade fikon
2 dl russin
100 gram smör

Kör choklad, russin och fikon i mixer. Tillsätt smöret och kör ett tag till så att det blir en jämn smet. Om man vill kan en del av russinen blandas i hela på slutet, utan att mixas alltså.

Rulla till små bollar och vänd i kakaopulver.

Ris à la Malta

Ris à la Malta är ett en efterrätt till jul som är mycket enkel att göra.

2 dl risgrynsgröt (färdigköpt eller egengjord)
2 msk florsocker
1 tsk vaniljsocker
1 dl vispgrädde
1 st apelsin

Blanda risgrynsgröt, florsocker, vaniljsocker. Vispa grädden och rör ner den.

Skala och skär apelsin i mindre bitar och rör ner dem.

Fröken Jeppsons crème fraiche-tårta med citron

1 1/2 dl vispgrädde
1 dl socker
2 dl crème fraiche
4 ägg
1 tesked vanillinsocker
skalet och saften från 1–2 citroner
4 digestivekex

Separera äggvitorna och gulorna och lägg dem i var sin skål.

Vispa äggvitorna till ett hårt skum och vispa grädden för sig.

Riv skalet från citronerna fint (undvik att riva av det vita innerskalet som smakar beskt). Pressa ur saften. Blanda saften och det rivna skalet med äggulor, crème fraiche, socker och vanilj.

Vänd ner grädden och äggviteskummet bland de övriga ingredienserna. Blanda försiktigt.

Smörj en form med löstagbar kant. Smula ner kexen i botten. Häll ner gräddblandningen i formen. Täck över med gladpack eller folie. Ställ in i frysen i minst fyra timmar. Låt gärna tårtan tina en halvtimme före servering.

Snabb hemmagjord glass

cirka 200 gram frysta bär av något slag
1 burk kesella
1–2 matskedar honung

Kör bären i matberedare. Lägg i resten och kör en stund till. Servera direkt.

Evas frukt med vit choklad

En klart omtyckt efterrätt och enkel att göra.

Skiva färsk frukt i småbitar. Till exempel banan, äpple, kiwi, jordgubbar eller vad som finns till hands.

Grovriv vit blockchoklad över frukten. Ställ in i ugn på 250 grader i några minuter, man måste passa hela tiden för det går fort. När chokladen blivit lite ljusbrun i topparna är det färdigt. Servera direkt, gärna med glass.

Sesamfrön och honung

Rosta sesamfrön lätt i en kastrull. Lägg i lite honung.
Var noga med att inte bränna vid det går ganska fort.
Gott som det är eller till frukt och glass och liknande.

Nötter på paj och annat

Gör en äppelpaj och strö rikligt med hasselnötter över.

Ett annat tips är att strö hackade nötter över filen, gröten eller vad det nu kan passa till.

Mammas amerika-kaka

Den här kakan kan du ha att ta fram som en bit till kaffet eller serverat till glass och liknande.

Till kakbotten:

1 dl farinsocker (kan minskas om man så önskar)
100 gram smör
2 ½ dl vetemjöl (eller havregryn som körts i mixern)

Rör ihop smör och farin och blanda i mjölet till en deg. Tryck ut degen i en form som du klätt in med bakpapper. (Formen ska vara cirka 20 gånger 30 centimeter). Ställ i ugnen i 10 minuter på 175 grader.

Fyllning:

2 ägg
2 dl farinsocker
1 tsk vaniljsocker
1 tsk bakpulver
½ tsk salt
2 ½ dl kokosflingor
2 ½ dl hackad mandel

Vispa äggen pösiga. Tillsätt farinsocker, mjöl, salt, bak-
pulver och sist blandar man i kokos och mandel.

Bred ut smeten i den gräddade kakan och ställ in i ugn
igen i 25 minuter.

Låt kakan svalna lite, skär sen i önskat stora bitar.

Yoghurtglass

2 dl vispgrädde
4 dl naturell yoghurt
1 dl råsocker (eller vitt socker)
2 tsk vaniljsocker

Vispa grädden (inte för hårt) med socker och vaniljsocker.
Blanda i yoghurten och ställ in i frysen i cirka tre timmar.
Rör om några gånger.

Brända mandlar

Här passar woken bra, men det går också bra att använda en vanlig gjutjärnsstekpanna.

Rosta mandlarna lite lätt i stekpannan eller i woken, använd inget matfett. Stjälp upp mandlarna på ett fat och låt pannan svalna något.

Lägg tillbaka mandlarna och slå i socker. (Det går ungefär en näve socker på en näve mandlar.)

Sätt plattan på hög värme. Rör snabbt hela tiden. Det gäller att vara på sin vakt så att inte sockret börjar bli bränt. Mandlarna är färdiga när sockret smält och fastnat i kristaller kring nötterna.

Stjälp snabbt upp dem på ett fat eller på en plåt. När mandlarna svalnat går det lätt att bryta isär dem från varandra som garnering.

När du är klar, häller du vatten i stekpannan och låter den stå. Då löser eventuellt fastbränt socker upp sig hur lätt som helst.

Servera mandlarna som tilltugg till kaffet, på glöggfesten eller till glass och liknande.

Smarta billiga kökstips

Använd eftervärmen i ugnen

Det finns mycket man kan använda en uppvärmd ugn till, hålla nästa rätt varm, förbättra bröd eller nötter, torka till skorpor, göra müsli och så vidare. Onödigt att låta något gå till spillo i ett klimatsmart kök.

Salt i såren

I skårorna på skärbrädan samlas det massor av bakterier. Därför ska man alltid ha olika skärbrädor för kött och grönsaker. Köp brädor i olika färger! En skärbräda av trä mår inte bra av att diskas i maskin, den torkar ut och riskerar att spricka. Använd salt i stället! Det både slipar och är bakteriedödande. Häll rikligt med salt och skura skärbrädan ordentligt med en grov borste så saltet tränger in i skårorna. Funkar också på plastbrädor.

Spara på sommaren

Allt går inte åt från skörden från växthuset, grönsakslandet eller fruktträden. Ett bra sätt att spara in på klimatet – och på pengarna – är att ta vara på det som blir över. Gör saft eller sylt av frukten och bären, eller frys dem som de är till vinterdesserter. Bönor, sparris, potatis är grönsaker som räcker länge och som går utmärkt i soppor eller som tillbehör.

Citron

Citron tar bort både fisklukt, löklukt och bärfläckar från händerna. Dessutom tar citronånga bort bränd lukt. Koka bara några citronskivor i vatten utan lock när du vill få bort den brända lukten i huset.

Räddaren i nöden

För tunn eller för tjock:

Späd ut grytan eller soppan med vatten eller buljong (utan glutamat) ifall den blivit för tjock. Om den blivit för tunn kan du helt enkelt låta lite vätska koka bort, detta kallas att reducera.

För salt eller för syrligt:

Har du saltat för mycket kan det avhjälpas med att öka den syrliga smaken något, med till exempel citron. Och tvärtom ifall det blivit för syrligt – då saltar du mer!

Ett annat knep om det blivit för salt är att skära ner några bitar potatis i kastrullen. När potatisbitarna blivit mjuka har de sugit upp lite salt, då kan du plocka upp dem igen (om du inte vill äta dem, förstås).

Om såsen skär sig:

Om en sås eller soppa skär sig kan du etappvis skvätta i vatten samtidigt som du vispar när såsen kokar.

Skinn på såsen:

Problemet med skinn på såsen avhjälper du lätt genom att ta en rejäl matsked smör eller margarin som du rör ner i såsen strax före servering.

Samma sak gäller när du måste låta såsen stå på värme en längre tid.

Smör är dessutom en riktig smakförhöjare.

Såpa till det mesta

Kastruller

Vidbrända kastruller blir rena om du kokar upp vatten med såpa i. Låt stå en stund med lock på, diska sedan.

Köksinredning

Såpa löser smuts och fett och är skonsamt mot målade ytor. Gör rengöringsspray genom att hälla såpvatten i en sprayflaska.

Ugnen

Lägg ut tidningar framför spisen för att skydda köksgolvet. Smörj in ugnen med koncentrerad såpa och värm till 100 grader. Låt svalna och tvätta med en svamp som inte repar. Skölj.

Skjortkragar

Gnugga fläckar och smutsränder med lite såpa före tvätt.

Gräsfläckar

När kläderna är gröna av gräs, gnid in fläcken med såpa och låt ligga någon timme. Sedan går det lätt att tvätta bort fläckarna.

Blodfläckar

Färska fläckar avlägsnas om de gnids in med såpa.

Glasögon

Droppa lite såpa på glasen och skölj under rinnande hett vatten. Gnugga med fuktad trasa och efterpolera med torr mjuk trasa.

Penslar

Såpa löser intorkade målarpenslar.

Blomkrukor

Låt ligga i blöt i lite såpvatten så löser smutsen och jorden upp sig.

Smarta billiga huskurer

Äppelcidervinäger:

Äppelcidervinäger smakar utmärkt i salladsdressing, men kan också hjälpa vid trög mage. Häll en skvätt i ett glas och fyll på med vatten. Drick!

Det är också hungerdämpande, så vill du minska småätandet kan det hjälpa att dricka ett glas äppelcidervinägervatten mellan måltiderna.

Björkblad:

Björkblad är milt urindrivande. Plocka späda björklöv på våren. 1–2 matskedar finhackade björkblad blandas i en kopp kokande vatten och silas efter en kvart.

Olivolja:

Liksom vitlöken är olivoljan både mat och medicin. I medelhavsländerna drabbas färre av hjärt- och kärlsjukdomar, tack vare sin mat där olivoljan och vitlöken är vanliga ingredienser. Olivolja är utmärkt även utvärtes, till exempel vid torr hud.

Honung:

Honung är inte bara ett fint sötningsmedel – det har också sårläkande egenskaper.

Kan användas vid finnar, munsår, skavsår och mindre brännsår. Ge dock aldrig honung till barn under ett år!

Honung används traditionellt som en lindrande behandling vid förkylning, hosta och halsont. Blanda honung med lite varmt vatten och gurgla. Honungen lindrar smärtan och kan motverka infektionen.

Blåbär:

Blåbär är rena medicinen! Det innehåller massor med antioxidanter och undersökningar har visat att blåbär är mycket effektivt mot flera ögonsjukdomar. Blåbär ger också bättre mörkerseende.

Blåbärssoppa stoppar diarré. Färgämnena i blåbär har dessutom en antiinflammatorisk och bakteriedödande effekt.

Vitkål:

Vitkål är superbilligt, och innehåller en massa C-vitamin. Det stimulerar också immunförsvaret och är bakteriedödande. Ammande kvinnor med ömma bröstvårtor kan lindra smärtan genom att slå in brösten i vitkålsblad.

Forskningsrapporter har också nyligen visat att vitkål (och andra kålsorter) kan motverka lungcancer. Man vet dock inte hur än. Men en vitkålssallad eller coleslaw till maten då och då är ett riktigt bra hälsotips!

Ingefära:

Ingefära stimulerar aptiten och matsmältningen. Det har antiinflammatoriska egenskaper och har därför en positiv effekt på ledgångsreumatism.

Ingefära kan lindra huvudvärk. Det är också effektivt mot illamående och åksjuka.

Riv ingefära i en kopp. Slå över hett vatten. Drick!

Morot:

Många studier har visat att karotenet i moroten förebygger hjärt- och kärlsjukdomar. Morot innehåller ämnen som sänker blodtrycket och minskar risken för hjärtflimmer och hjärtinfarkt.

Karotenet och A-vitaminet i moroten förebygger också grå starr och åldersförändringar på näthinnan. A-vitaminet förbättrar också mörkerseendet.

Kamomill:

Kamomill finns att köpa som te, eller i lösvikt i hälsokostaffären. Det är ett billigt och ofarligt sömnmedel och en bra förkylningsdryck. Det kan dessutom användas som omslag vid hudutslag.

Vitlök:

Vitlök kan man aldrig få för mycket av. Bra för matsmältningen, blodtrycket, och allicinet i vitlöken är antibakteriellt. Ät extra vitlök om du håller på att bli förkyld! Vitlök förvaras bäst i lerkrus.

Receptregister